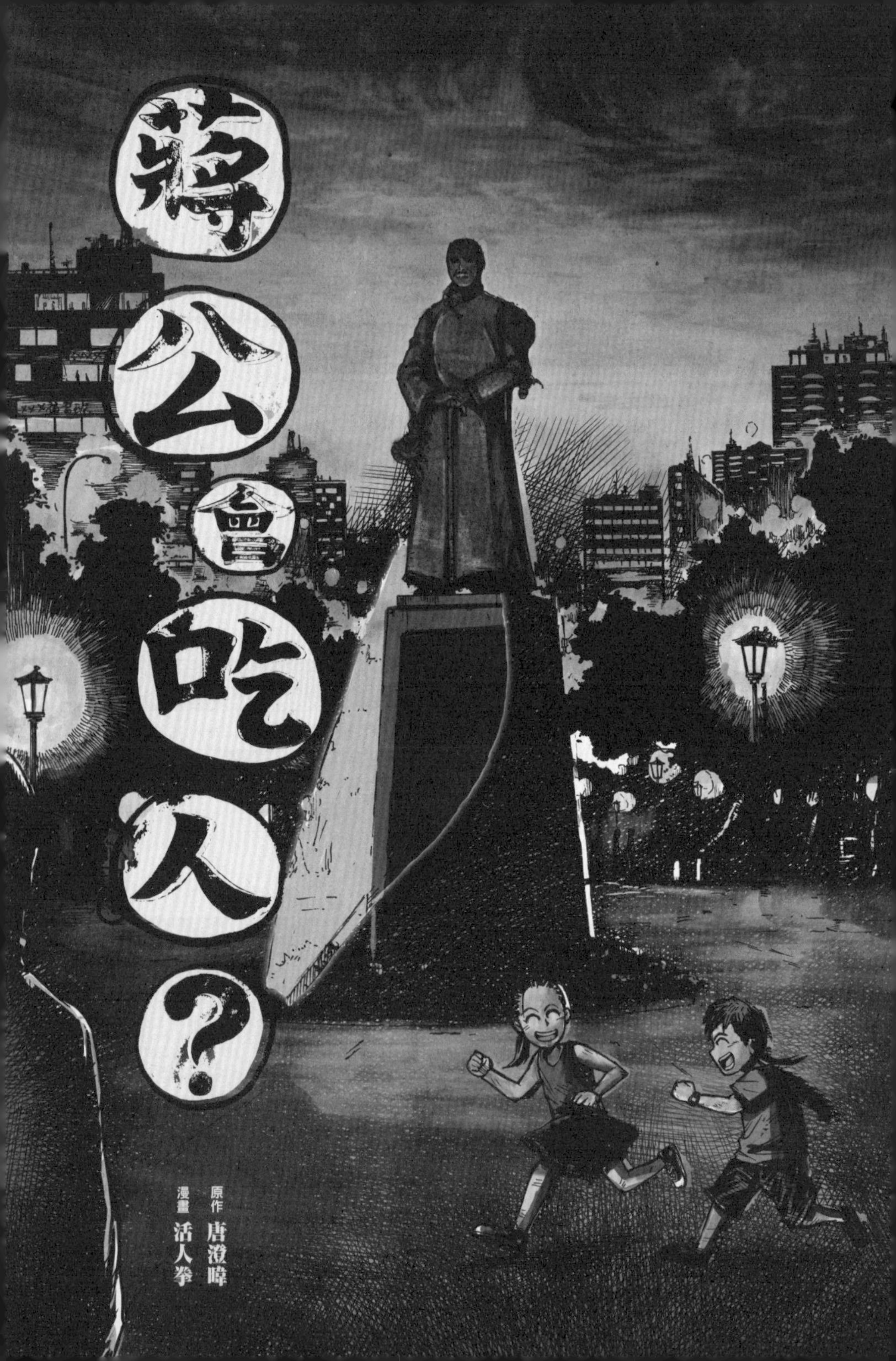
蔣公會吃人？
原作 唐澄暐
漫畫 活人拳

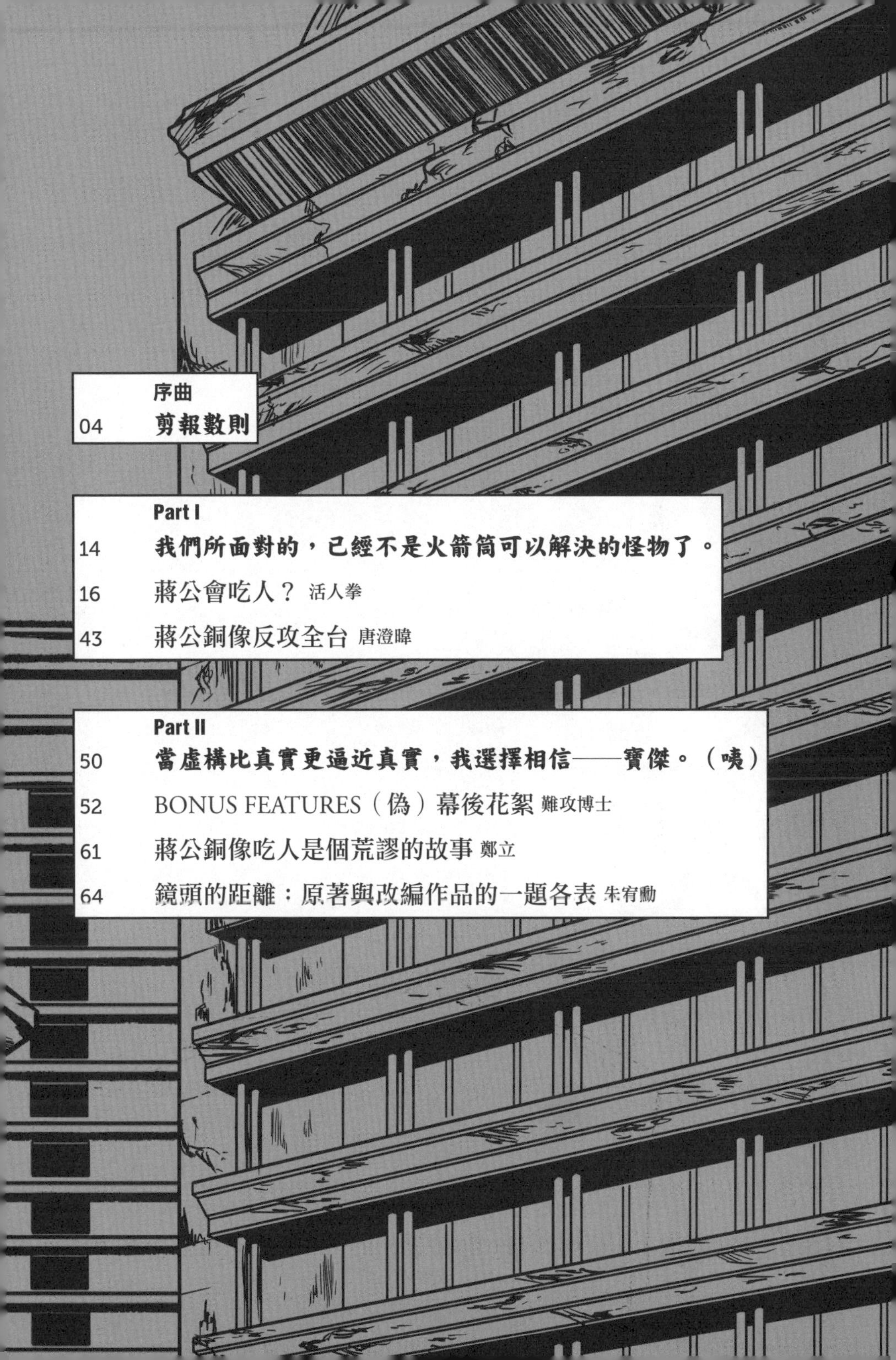

序曲
04 剪報數則

Part I
14 我們所面對的，已經不是火箭筒可以解決的怪物了。
16 蔣公會吃人？ 活人拳
43 蔣公銅像反攻全台 唐澄暐

Part II
50 當虛構比真實更逼近真實，我選擇相信——寶傑。（咦）
52 BONUS FEATURES（偽）幕後花絮 難攻博士
61 蔣公銅像吃人是個荒謬的故事 鄭立
64 鏡頭的距離：原著與改編作品的一題各表 朱宥勳

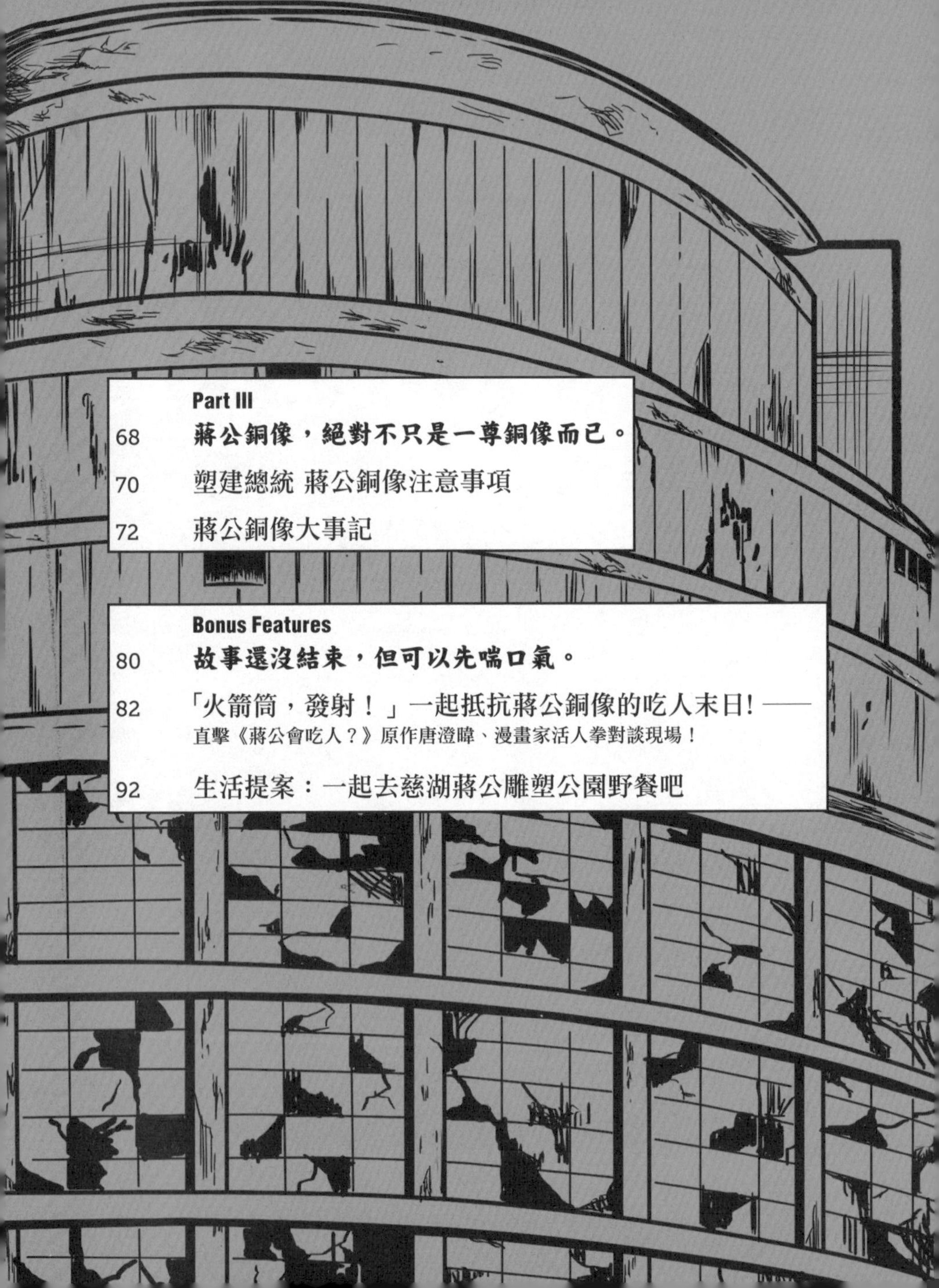

Part III

68 蔣公銅像，絕對不只是一尊銅像而已。

70 塑建總統 蔣公銅像注意事項

72 蔣公銅像大事記

Bonus Features

80 故事還沒結束，但可以先喘口氣。

82 「火箭筒，發射！」一起抵抗蔣公銅像的吃人末日！——
直擊《蔣公會吃人？》原作唐澄暐、漫畫家活人拳對談現場！

92 生活提案：一起去慈湖蔣公雕塑公園野餐吧

剪報數則

序曲

台南多處血跡洗地

受害者仍不明

【突發中心陳春民／台南報導】本日凌晨，台南市發生數起血跡洗地事件，發生地點不一，包含市立公園、數所國高中、甚至軍營等，皆回報有大量血跡殘留地面。警方獲報紛紛趕抵現場，封鎖現場展開鑑定，要確認受害者是否為人類。

此事件引發網路熱論，動保團體到市政府前抗議，要求警方公布當晚各地點監視器畫面，追查惡意殺害流浪動物的兇手。某位不願具名的員警表示，事件雖然看似零星，但唯一共同點，便是現場都有一座蔣公銅像。無獨有偶，全台地下串聯組織「無限期支持拆除蔣公銅像後援會」亦有會員表示，他們有數位成員在昨晚參與對銅像潑漆等破壞活動之後，便消失蹤影，擔心地上的血跡為成員所有，要求警方快速破案，揪出幕後黑手。究竟受害者是人是流浪動物，或只是一場惡作劇，在血液報告尚未出爐之前，都是謎團。

藍營綠營說不清

【突發中心陳冬民／台北報導】多位藍營支持者於中正紀念堂拉起白布條，聲稱蔣公銅像吃人的事件，是綠營人士夥同生技公司一同密謀，並表示綠營會在蔣公銅像內植入基改生物，要在大選前左右選情。聚會開始不久，便有銅像出沒，在場人士慘遭數隻銅像攻擊，三人當場死亡，十六人重傷，四人下落不明。綠營回應一切是子虛烏有，請藍營不要抹黑。藍營則表示蔣公銅像是綠營聯合美國，想藉由法制外活動逼總統下台，而上演的一場戲。截至記者發稿前，蔣公銅像已經在全台造成超過五百人死亡，三千人失蹤，一萬五千名以上的重傷患者亦將醫院擠得水洩不通。有關單位正緊急處理中。

蔣公銅像哪裡來

一好的，謝謝主播。因應全台爆發蔣公銅像會吃人的可怕事件，大家可以看到，總統府前面正在進行一個把拒馬全部立起來的動作。正如你們所看到的，前面左方有一個蔣公正在緩慢移動，記者正冒著生命危險，為您進行第一線的採訪喔。由於呢，本週全台發生多起蔣公銅像移動並開始吃人的事件，總統府亦啟動緊急措施，在四周拉起拒馬，總統剛才發布了網路談話，他說：『大家的聲音，我們都聽見了。』除了出動軍方部隊全力對抗，同時呼籲全民待在室內，如非必要切勿外出。你看！攝影大哥，往左邊拉，大家看，國軍正對著前方一隻蔣公銅像，進行一個開槍射擊的動作。攝影大哥，可不可以來個特寫？對，拉過去。天啊，子彈也打不穿。那到底是什麼東西。呃，對，不願具名的政黨高層還表示，銅像會走路，甚至有高級住宅區大樓頂樓住戶被吃掉，如果總統只會叫大家不要出門，找不出更好的武器去殺它們，那大家都會死——啊，阿兵哥被吃掉了——正如大家所看見的，一般軍火無法打穿蔣公銅像，記者合理質疑，國防部是否黑箱作業，將軍火預算分贓偷走，害本國人民無法受到——嗚啊啊啊，它走過來了它走過來了啦！呃救——恐慌持續蔓延，但蔣公銅像會吃人是破天荒頭、頭一遭，如何解決，考驗著總統以及整個政府的智慧。記記記者陳、陳秋民在總統府前

ll Hell Break Loose in Taiwan
atues Feed on Humans." —CMM News

tacked by Walking Statues, Formosa Bathed in Blood."
he Taiwan Number One Post.

aiwan Doomed
annibal Statues Walk the Earth."
he Old York Times

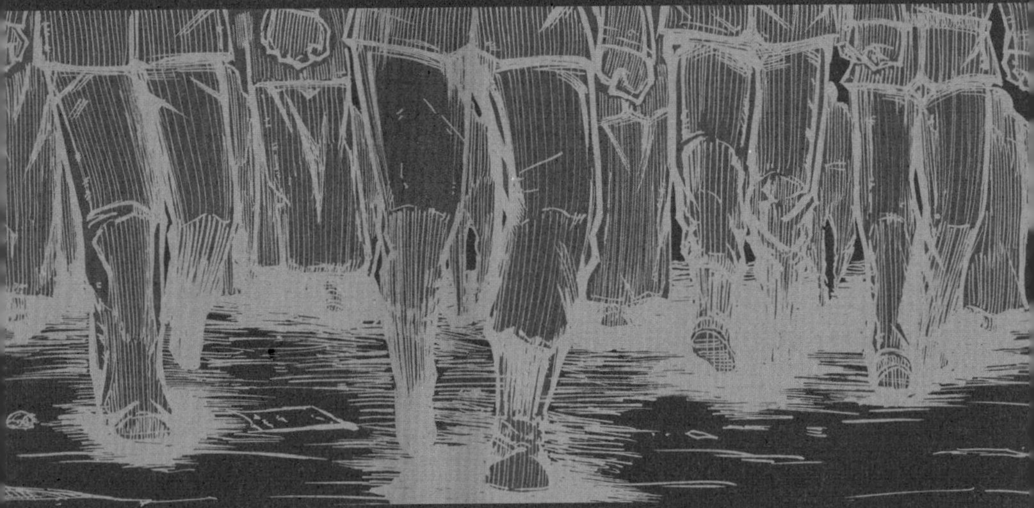

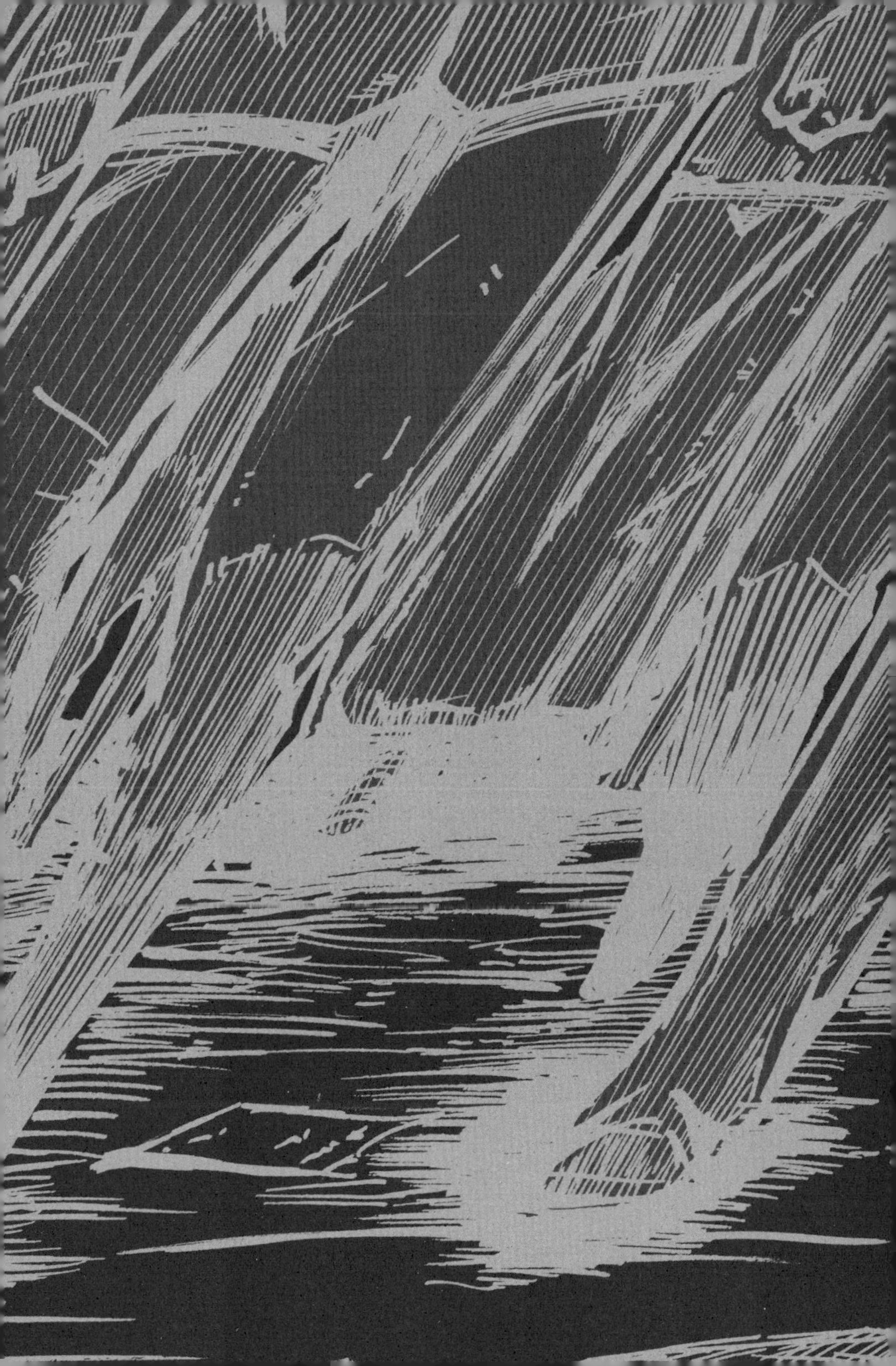

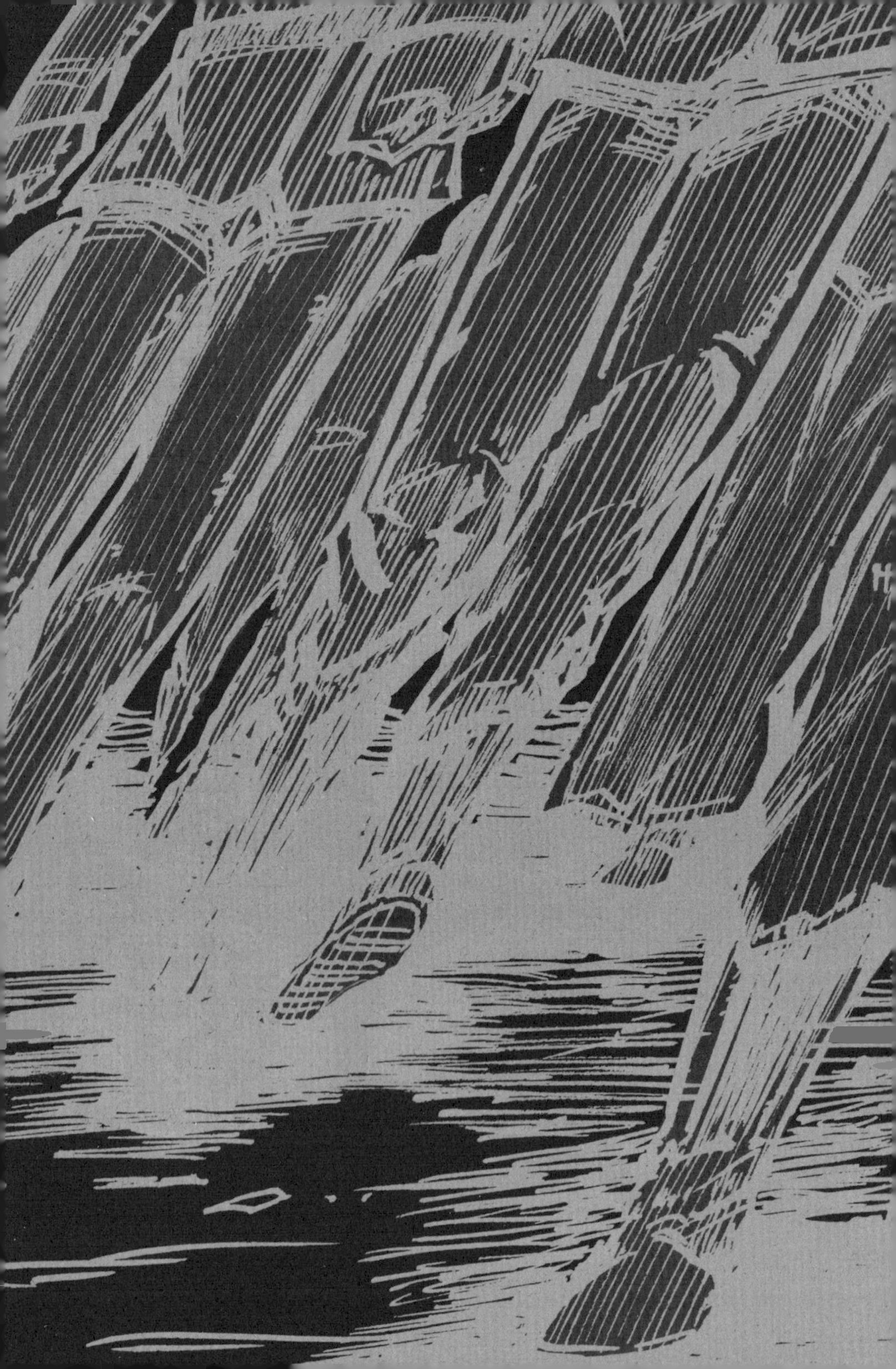

Part I

我們所面對的，已經不是

可以解决的怪物了。

大家都聽過這些傳說吧？
關於會動的蔣公銅像。
突然地眨眼、
在半夜換腳、
噠
噠
或是對學生微笑。

砰
砰
砰
砰
如果那些傳說不是幻覺。
噹
噹
如果那些傳說……是真實的。
砰
砰
砰
砰

總統蔣公
並非單純的銅像，
而是刀槍不入
的惡魔。
而是以人類
為食的怪物。

那麼，讓我們歡迎……
蔣公回來了。

蔣公回來前。
蔣公回來後。

雖然大多數的武器對蔣公無效。
但是我們對蔣公的反抗並沒有停止。
班兵注意！蔣公已在眼前！做好射擊前準備！
是！

左線預備！
右線預備！
全線預備！
開始射擊！

報你媽啦！
繼續打！
有效！
破壞它們了！
靶台報靶！

太好了！快回報總部！
攻擊有效！
我們可以打倒蔣公！
幹！
這、這些蟲是什麼!?

嗚、嗚啊！
快救……
嗚沙
嗚沙
嗚……
嗚沙
嗚沙
嗚沙

中正路
總部！
蔣、
蔣公……
他被變成了
蔣公!!

救命啊！
啊啊啊……
嘟——
蔣公特別對策作戰總部
可惡！
難道台灣就對付不了蔣公嗎？
其他軍隊呢！他們都在幹什麼？
軍營都被攻陷了！

坦克！
飛彈！
核彈！
美軍！
日軍！
鋼彈！
拳法家！
什麼都可以！
再這樣下去的話……
台灣會滅亡的!!

〈蔣公紀念歌〉／詞 張齡・曲 李中和

總統 蔣公，您是人類的救星，您是世界的偉人。
總統 蔣公，您是自由的燈塔，您是民族的長城。

內除軍閥，外抗強鄰。
為正義而反共，圖民族之復興。
內除軍閥，外抗強鄰。
為正義而反共，圖民族之復興。

♪蔣公!!♫~
♪蔣公!!♫~
啪沙
!!
蔣公，不要啊！
您不朽的精神，永遠領導我們。♪~♫~
啪沙

反共必勝，建國必成。♪~
哇啊啊啊!! 教主掛掉了!!
救命啊!! 蔣公瘋了!!
肉身雖死精神不
救國金剛不壞身
我的人生都是你害的！我跟你拚了！
快逃啊啊啊！
死精神不滅
反共必勝，建國必成。♪~
啊
啊
啊
啊
啊

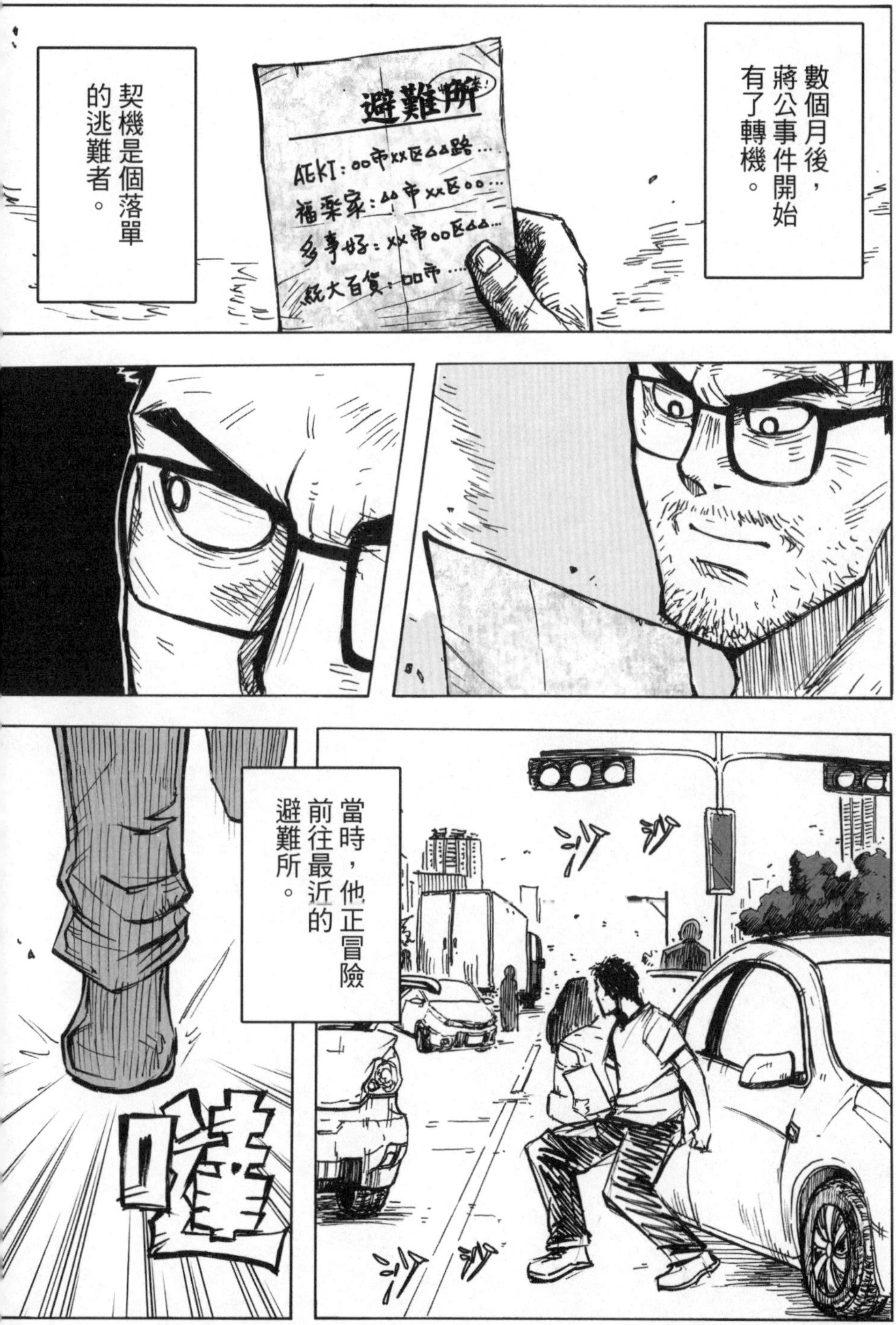
數個月後，蔣公事件開始有了轉機。
避難所
AEKI：○○市××區△△路…
福樂家：△△市××區○○…
多事好：××市○○區△△…
統大百貨：○○市…
契機是個落單的逃難者。
沙
沙
當時，他正冒險前往最近的避難所。
嗒
沙
沙

噠
噠
噠
沙沙
噠
噠

砰噹！
噠
他成了第一位目擊者。
…？
沙
沙

蔣公倒下了。

沒有人知道為什麼。
是它體內生物壽命到了終點？
亦或是進入了休眠。
也可能是它們作為糧食的台灣人血肉中，
充滿了太多有害物質，
造成它們的毀滅。
又或著是台灣本身……

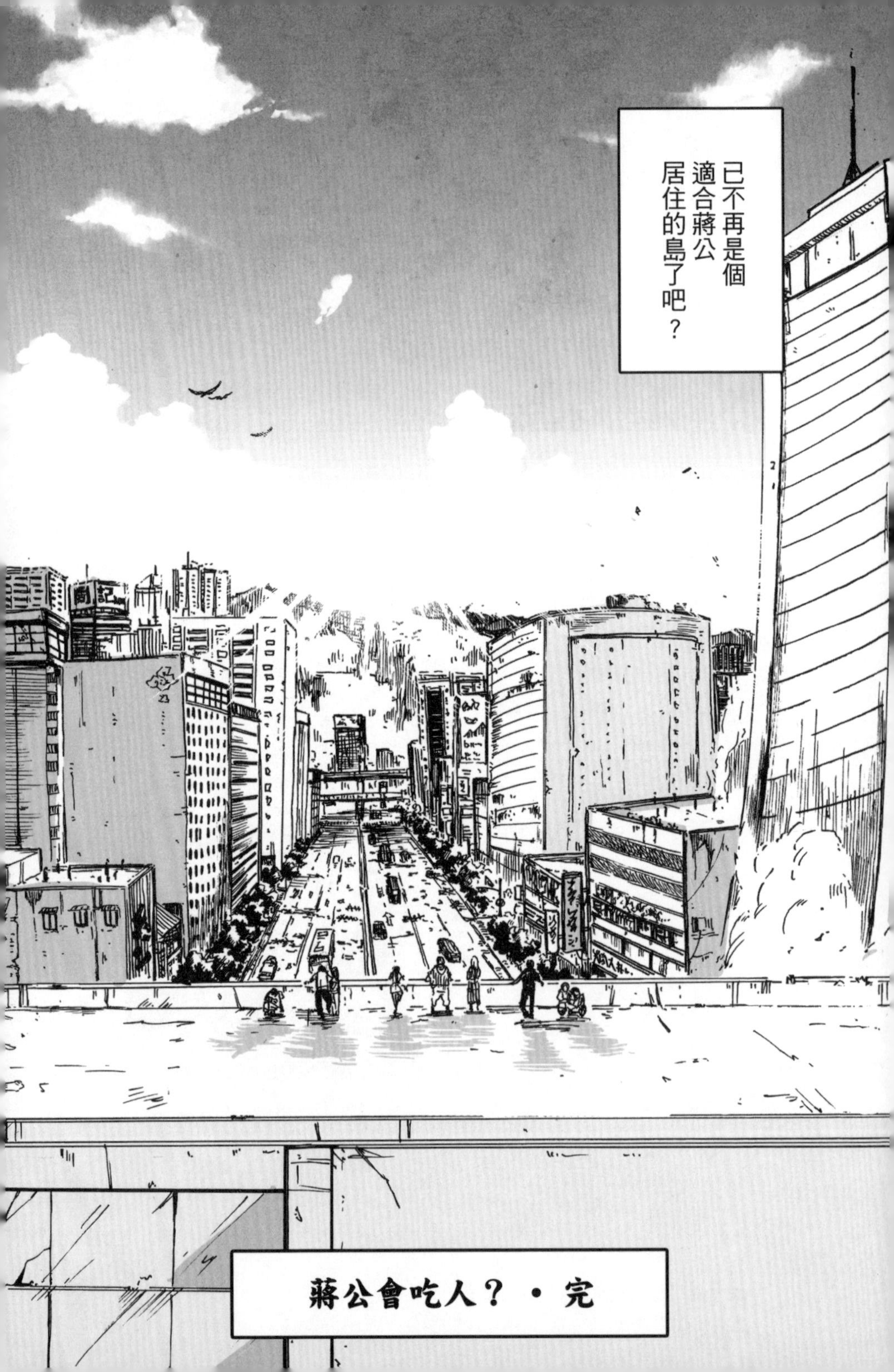
已不再是個適合蔣公居住的島了吧？
蔣公會吃人？・完

本故事純屬虛構，如有雷同實屬巧合
嘟——

蔣公銅像反攻全台

唐澄暐

以前大家都有聽過關於蔣公銅像的校園鬼故事吧？有的說銅像會偷偷眨眼睛、蔣公銅像會笑，連到大學都還有人在說，蔣公騎馬的銅像半夜會換腳——沒辦法，偉大領袖無處不在嘛。

只是說，如果那時候我們有誰再大膽一點去看仔細，或許就不會落到現在這種地步。

回想起來，是不是當初到處立銅像的時候，就已種下了日後災難的種子呢？如果是的話，那潛伏期未免也太長了。但這麼長一段時間內，只要有誰去好奇一下銅像裡面裝了什麼，也許事情就不一樣了……但，以前誰敢亂碰偉大的領袖、尊敬的校長啊？碰了就是討打——唉，其實到了這最後一刻，情況還是差不多啊。

搞不好很久以前，就有人像現在這樣突然被蔣公銅像吃掉，但就算有人看到還活下來，應該也不敢到處亂講吧。至少到了科學昌明的本世紀初，事情的開端便是這樣，從有人疑似被吃掉開始。

最早只有一些零星的案例，有民眾報案說地上有不知是貓還是狗的血跡，但就只有一攤血，其他什麼都沒。事發地點都是那種一般人晚上不會逗留的老公園，就算真的是人血，大概也是那種無親無故的流浪漢，因此沒特別引起大眾注意。

大家開始關心這件事，是從那些想拆銅像的人失蹤開始的。在網路上偷偷相約、說好半夜去潑漆、拉倒蔣公銅像的人，第二天再也沒回來。敏感的消息在已緊繃的政治對立面火上加油，第二次白色恐怖的謠言四起，執政黨堅決否認，反稱是反對黨的自導自演，要那些假裝失蹤的人不要再作戲，趕快出來工作不要宅在家裡。事件依循著慣例：誇大的報導、瘋狂的轉載、憤怒的留言、煽動的名嘴、趕時間的網路寫手、各自賣弄的理論，然後就輪到最受歡迎的談話節目扯起世界各地的假超自然事件，說這極有可能是外星人綁架地球人的真實案件，還扯起蔣公銅像和世界各地巨大石像之間不可告人的神祕連結。

出乎我們的意料，這次談話節目居然說對了——至少比其他人對那麼一點點。

第一個確切的攻擊事件發生在正式拆除行動中。當台南市政府企圖在正反方對罵與各家 SNG 連線中拆除公園內的蔣公銅像時，在眾目睽睽下，銅像不只眨眼睛、笑了一下，還抓起兩個拆除工，面對面砸爛他們的頭顱。慘況被散落一地的攝影機傳送給全台灣——一片尖叫聲中，在逃竄人群的後方，蔣公跳下寫著他遺囑的台座，微笑越撐越大，直到整個下巴像脫臼一樣，才從裡面伸出內臟，嚼起那兩具屍體。

第一批到場的警察根本搞不清楚狀況——畢竟這是前所未有的狀況，他們粗心大意地抵達現場，發現自己遇到的不是人類卻為時已晚，銅製的外殼根本不甩他們的對空鳴槍和實彈射擊，兩名員警當場斃命。那天台南陷入一片騷亂，軍車在大街上急馳，民眾驚慌地躲進屋內、一扇扇鐵門拉下；直到第二天新聞才公布，八軍團出動反甲連，打了三發六六火箭彈，才讓那尊銅像停止動作。

剛擊倒的未確認生物立即被送到國內最尖端實驗室檢驗的這種劇情不可能發生在台灣，還不到第二天，民眾就聽見台南上空各種呼嘯聲來回，軍事迷目睹一架架罕見的美國軍機陸續降落台南機場，很迅速地接管了銅像。儘管中國提出強烈譴責，但一般民眾對於美國出手擺平一切混亂並順便讓中國跳腳一事，私下多半樂見其成。

關於這具「蔣一號」（美方後來的稱呼）的一些情報，很不幸地要等到災難全面爆發，才從美國洩漏回台灣。美方研究人員在重武力戒備下剖開銅像，發現裡面早就被肉質填滿，但與現存的任何生物都沒有相似之處。研究人員只能從初步的解剖中判斷，這種生物在銅像內成長，並把銅像化為可再生的外殼組織，同時將攝食的肉體化為內部組織；至於為什麼它要躲在蔣公銅像，以及它如何、什麼時候開始躲進蔣公銅像，很不幸地，即便是由我們親身付出慘痛代價，還是沒有什麼頭緒。

台南的慘劇至少讓朝野各界有了共識，那就是，蔣公銅像非拆不可。有鑑於先前的死傷，拆除工作只敢採取遠距離攻擊。於是那陣子到處都可以看到軍車來來去

去，荷槍實彈扛火箭筒的阿兵哥出現在平常最少出現的地方——小學、國中、高中、大學、各市立縣立圖書館及分館，在適當距離外建起簡易防線，然後不管在室內還是室外，反正就是開火，打到銅像被打歪打倒打破了都沒有反應為止。

大多數只是虛驚一場（並造成各地大小不一的損害），少數地方確實有些斬獲，整體而言就是一場災難。後來幾個倖存者的描述都大同小異——少數幾尊銅像，也許是觸動了裡面的什麼警覺神經，還是刺激產生了什麼變化，銅像的破口裡忽然散出幾百條蟲往外竄，鑽進防線後阿兵哥的體內，真的是有洞就鑽。倖存者的證言只到這邊維持精神正常，接下來只剩監視畫面還有膽拍下去：那些被鑽進去的阿兵哥像是從裡面被活活吃掉似地抽搐後，開始像銅像一樣古怪地動了起來，而且是不要命地狂奔，拚死也要找暗處鑽，等到增援部隊抵達時，它們早就消失在各個縫隙中，只留下地上幾攤血跡，如同一開始的目擊事件。

從那天晚上開始，那些東西——如今也只好繼續叫「蔣公」了——展現出驚人的生命力，每個活著的台灣人都將深刻地記在心頭。它們用攝食到的物質，替自己複製出一套光頭穿中山裝的外殼，一成熟便從暗處襲來。它們帶著燦笑捕捉驚慌逃難的民眾，吃飽了就改用活人來繁殖，那些被寄生的民眾一邊被吃掉原本的肉體，一邊拚了命為宿主尋找新外殼，沒過多久，便長成一尊新的蔣公。

不到一星期，全台灣的警力要不殉職，要不已成為新生的蔣公，轉頭捕捉原本要保護的民眾。國軍雖然擁有各種足以貫穿銅甲的武器，但「內鬼」早就潛伏在各支部隊中——稍微「高司」一點的軍事機關，哪邊沒有蔣公的身影潛伏呢？許多

部隊早在開戰前就已銅像化，互相纏鬥下來，存活的部隊所剩無幾。自認有辦法的人想早一步抵達機場，卻發現和眾多有志一同的逃難者困在地上——美軍的戰鬥機持續在上空盤旋，阻止任何飛機離開跑道。

整個台灣就這樣被封鎖了。原本為了「蔣一號」的歸屬而對立的美中，如今也有了兩個共識：第一，目前不能讓任何一尊蔣公離開台灣；第二，必須要讓蔣公在台灣持續複製，等到達到數量上限（也就是我們全變成蔣公）之後，再來討論這種全新生命體未來可能的分配與利用方式。畢竟這種輕武器打不穿，還會自動修補複製的非人有機戰鬥單位，要是能徹底控制，在戰場上可不得了啊。

所以我們現在的處境就變成這樣了。沒有電影那種全身爛光光、左搖右擺、鬼吼鬼叫的殭屍大軍，我們每天看到的就只有無數的蔣公，神貌慈祥雍容，神態挺拔舒適（偶爾參雜著騎著馬，或者身高超過三米以上的奇行種），穿著他生前最喜愛、刀槍不入的中山裝，一樣的光頭、一樣的微笑，笑到我們心裡發寒。我們最後這一小群倖存者，跟著少數沒喪命的阿兵哥，帶著僅剩的幾枚火箭彈和輕武器躲藏在市郊山區，像老鼠一樣趁著蔣公不在時進城搜刮一點食物。即便遠離那些微笑，美國的無人監視機仍在我們頭頂盤旋，但它們只是看著，等著我們全部被咬爛，或變成島上的最後幾尊蔣公。

直到有一天，我們從隱藏處爬出，遠遠觀察城鎮那頭有無動靜，卻發現望遠鏡裡的每尊蔣公都不動了。我們又觀察了三天，才小心翼翼地，從另一遠處發射一枚

火箭彈。一尊蔣公像布娃娃一樣爆開碎裂，其他還是動也不動。我們又等了一天，然後依照我們膽子大小的順序，一個接一個、一群又一群地走進城市。在極度緊繃中我反而浮現某種夢境感，好像走在慈湖和台北重疊成的廢棄遊樂園，滿街都是靜止不動的蔣公銅像，維持在行走、跑步、爬行的姿勢；有些四腳著地正啃食著地上的屍塊，有些還趴在窗戶、鐵絲網上，也有些蔣公正在互相搏鬥，雙方都張大了嘴準備對彼此的脖子咬下。一開始我們還小心翼翼，聽到一點聲響就後退，但一陣子之後，我們只覺得這些銅像擋在街上妨礙我們行進，那幾個工兵群的甚至弄了台推土機，沿著街把它們往兩邊推掉。

第一件要事當然是找網路。我們開始試著連結被強迫離線的世界，搜尋各種關於蔣公的情報。我們有太多事情想要問——它們到底是什麼？是來自外星的生命，還是長久以來沉睡島上的未知物種？為什麼是蔣公銅像？是第一隻寄生的物種始祖，誤以為這種有著堅硬外殼的人形，是島上的優勢支配者，還是銅像碰巧提供這種生物順利成長的金屬外殼和陰暗空洞？它們到底在蔣公銅像裡躲了多少年，為什麼現在突然那麼兇暴地醒來，而又是什麼讓它們一瞬間全都停止動作？是像電影《世界大戰》那樣，微不足道的細菌殺死了外星侵略者，還是它們從我們同胞血肉中掠奪來的各種有害毒物，終究破壞了自身脆弱不堪的生理機制？還是說，已經無人管理的核電廠外洩出放射能物質殺死了它們，而好不容易能自由呼吸的我們，其實在落塵下也沒剩多少日子？還有最重要的（雖然很多倖存者覺得一點也不重要），我們小時候說蔣公銅像會眨眼，那到底是小時候的錯覺，或者真的是這

種生命覺醒前的反射動作？都沒有人在乎這件事了嗎？

先不管最後我這個問題好了。外面的人就算再怎麼研究推測，和我們親身所體驗的相比，實在都微不足道。不管怎麼樣，在美中採取下一步之前，島嶼暫時是我們的了。只是我們面前還有太多、太多、太多的蔣公銅像，不知道要推到民國幾年，才能清出一條可以走到超市、百貨，或隨便哪裡都好的路，只要讓我們先找到吃的就好了。

——選自唐澄暐短篇小說集《陸上怪獸警報》

當虛構比真實更逼近真實，

Part II

我選擇相信——

寶傑。

（嘆）

BONUS FEATURES

（偽）幕後花絮

難攻博士 中華科幻學會理事長

特典1：《㊣蔣公會吃人？》謎團解明

關於這群「妖魔化」的㊣蔣公究竟從何而來？又是為何消失？這段時間網路上偉大的鍵盤柯南們陸續導出許多精彩假說，茲列舉其中最熱門的七種理論如下——

異形寄生理論

目前網路上最多鄉民支持的說法。

只要仔細讀完台灣怪獸專家唐澄暐《陸上怪獸警報》的〈蔣公銅像反攻全台〉報告書，不難察覺好萊塢「異形寄生」類型電影早已提供了有力線索——

那種布局已久的「潛伏模式」，2005年的《世界大戰》（War of the Worlds）

早已發出警告：那種借殼上市的「無限增殖」，小時候被《異形基地》（Body Snatchers, 1993）嚇尿過的，今天應該還在收驚；那種出其不意的「破繭而出」，看過《異形四部曲》（Alien Quadrilogy, 1979-1997）的朋友，就不必我多提醒了吧……

對！沒錯！就是外星侵略者幹的！不信你問寶傑！

陰謀實驗理論

網路上另有一派，覺得外星生物侵略地球，竟會找上聯合國都查不到名字的鬼島未免太瞎，天塌下來也輪不到台灣頂，因此這群「陰謀論者」覺得應該是地球人自己幹的！

聽來有幾分道理，不過，誰會無聊到拿台灣來當什麼生物兵器還是生化病毒的實驗場呢？

美國嫌疑最大。君不見科幻災難電影裡，十部有九部都是美軍秘密研究的實驗失控所導致——而且，除了這個科學研究獨步全球、外星幽浮技術合作（？）的美利堅合眾國，誰還有能力搞如此先進的實驗呢？

中國好像也脫不了嫌疑。反正現在國民黨政府「兩岸一家親」，共諜來來往往也早就放棄治療，內神通外鬼，只要「台灣同胞」還有一點剩餘價值，拿來「兩岸合作」一做做實驗有什麼關係？大不了「斷然處置」擊沈算了不是嗎？（更別說拿蔣介石銅像來開刀，還頗有歷史惡趣味……）

至於另一個高科技鄰國日本嘛……好像除了幾滴白色正液胡亂嚷嚷又舉不出什麼證據之外，倒沒聽見什麼鄉民懷疑。揪竟是因為什麼台日友好？還是完全想不出把台灣搞爛對日本有啥好處？這我就不曉得了……

最後，當然有人懷疑是「中華民國政府」轄下國防單位幹的好事。不過，提出這項假說的鄉民不到半小時就被噓爆洗版不見蛋了——更別說這項短暫出現的假說，還被PO在「笨版」……

黃埔軍魂理論

喔喔喔！政治正確但完全不科學的假說出現了！

有群出現在政黑版的「中華民國軍武控」認為，他們心目中永遠的㊣蔣委員長眼看自己一手調教的「反共復興基地」今天竟淪落為一座「小確幸弱智樂園」，滿腔黃埔軍魂透過全島各地的銅像「具現化」成為一支「銅的部隊」，要喚醒「中華民國國民」的危機意識，讓全島再次進入戒嚴時期跟戰備狀態！

啊？那㊣蔣公又為什麼要到處殺人？年輕人終究是年輕人，人生海海有些事情要講給你了改，沒聽過別說你認識㊣蔣公——

對付軟弱新兵，應即槍決可也！對付叛亂匪徒，應即槍決可也！這才是㊣蔣公直傳的「黃埔軍魂」呀！沒有這樣鐵的紀律跟血的犧牲，是要怎麼扛起「反攻大陸解救苦難同胞」重任呢？

啥？這年頭早就沒有什麼「反攻大陸解救苦難同胞」了？

這事情你曉得我曉得國民黨都曉得，不過你覺得怒氣沖沖的㊣蔣公曉得嗎？

反共怨靈理論

是的！「黃埔軍魂理論」一出，馬上就有內行鄉民橫空出世修訂兼打臉——

這群人認為㊣蔣公之所以群起震怒、血腥屠戮，完全一反過去校園裡、教室裡、課本裡、記憶裡那個英明睿智慈祥和藹的偉人形象，主要完完全全是對「中華民國」不但早已不反共抗俄、甚至連國民黨徒子徒孫都絕口不提「中華民國」這回事感到震怒，因而激發了「怨靈化反應」而轉變為打算毀滅一切的末日惡魔細胞。

不過，對這種基於「反共必勝信念」所產生的「怨靈化㊣蔣公」揪竟是打算吃光殺光這群不肖子孫洩憤？還是他老人家打算重新讓台灣全島「㊣蔣公化」變成兩千三百萬個絕對忠誠的「㊣蔣公不死複製士兵」親自渡海「反共復國」？目前看來是死無對證了……

國民妖魔理論

這個特別的理論，是由國民黨立院黨團幾個重砲委員在記者會所上提出的。而且他們特別交代，這不是「假說」，而是經過法院認證的「事實」。（至於連餿水油都無法認證的『中華民國法院』為何有能力認證㊣蔣公怪獸真身？那就別問我了……）

帶頭的祭委員認為：民進黨多年來推行「去蔣化運動」，甚至打算把㊣蔣公從

「中正紀念堂」趕出去，是可忍孰不可忍，才會讓全台各地㊣蔣公銅像日積月累產生變化，最後一發不可收拾，民進黨應負起全責！

坐在一旁的蕉（前）委員搶過麥克風對記者表示：這些發狂的㊣蔣公其實都是民進黨人不知從哪弄來的奇怪病毒，漏夜塞進全台各地銅像裡頭，意圖破壞㊣蔣公跟國民黨的形象，激起全民妖魔化國民黨的情緒，這他統統都派人查證過了！

蘿會計師也站起身來，指著背後看板密密麻麻的數據資料說：這是支持者提供的秘密帳冊，裡頭包含民進黨編列給國內外生化公司、機械公司，以及電影特效公司的合約及收據，叫民進黨主席要出來公開道歉！

蛤？你問我這個「國民妖魔理論」究竟是㊣蔣公怨念？㊣蔣公病毒？還是㊣蔣公生化機械加電影特效？我又沒有國民黨黨證哪會知道！反正無論如何，民進黨都該出來說清楚講明白就是了……

赤化潛伏理論

有鄉民覺得國民黨立院黨團那個「國民妖魔理論」實在亂搞，於是在 PTT 上爆料，說其實自己因為長年來往台海兩岸做生意，所以知道些內幕，然後做了一個夢——

在夢裡，台灣有個取得中國香菸專賣憑證的小黨主席，趁著出口貨櫃回程的空箱，秘密進口好幾公噸紅色不明物體。這些東西上頭都印有「毛主席頭像」跟「为人民服务」字樣，從港口順利進貨後，就分送全國各地大小黨部，讓支持者自由領

取。聽說服用後能強身健體，日後百毒不侵，什麼陳年歷史的傷口都能完全治癒。

然後，他親眼看見許多信眾服食之後開始起乩，把房子統統塗成紅色不說，家家戶戶還升起紅旗敬禮。㊣蔣公吃人事件發生前一晚，他親眼看到這群滿口愛國同心的眷村老杯杯，竟然七手八腳爬上社區公園的㊣蔣公銅像，把奇怪的紅粉直接灑在上頭……

然後他的夢到這裡就醒了。

劇毒誘變理論

還記得前面有個「陰謀實驗理論」嗎？無論大家猜測是哪個國家的陰謀，講來都有幾分道理，討論也還能一來一往；唯獨有人提起這可能是「中華民國政府」什麼國防研究單位闖的大禍時，所有人都哈哈哈哈哈哈達成共識，表示絕不可能。

等等！「中華民國政府」的可能性第一時間就被排除（因為沒人相信他們搞得出什麼名堂），但這不代表「中華民國民間」沒能力搞出這麼恐怖的東西呀！

「高手在民間」沒聽過嗎？鬼島上最凶猛恐怖的東西，往往就來自民間——而且是企業跟財團呀！

有人覺得這次吃人㊣蔣公真正的成因，是人們隨手亂丟亂塞便利商店那些「化學元素週期表食品」日積月累所誘發的變異；有人覺得可能是因為地溝流動的有機毒油，沿著銅像基座透過毛細現象侵蝕所致；有人認為隨處亂設的手機基地台跟隨便亂拉的第四台電纜，產生了怪異的電磁波共振，激化銅像複雜分子活性造

成騷亂；有人甚至猜測，台灣島上多年來早已超過安全儲量的核廢料，根本早就被偷塞進四處可見的㊣蔣公銅像當中，遲早要出問題；有人說是PM2.5霧霾、有人說是彩色河水污染、有人說是保麗龍塑化劑、有人說是觀光客隨地便溺帶進外來病毒……

有人更狠，根本就認為是上面所有東西在台灣島上瘋狂共鳴，又偶然間搭上了無數㊣蔣公銅像的特殊頻率——有機無機有用無用有毒無毒有害無害統統摻在一起做爆漿撒尿牛丸……啊不是！統統攪和在一起變成「吃人㊣蔣公」。

幹！鬼島不愧是鬼島！媽的我還是回火星去開卡車好了……

特典2：《㊣蔣公會吃人？》UNOFFICIAL隱藏結局?!

「……終於，我們找到了充足的糧食，也幸運地連上網路。不過，在打開臉書的那一剎那，所有人都愣住了——臉書上所有人的人大頭照，彷彿萬國旗一般Pray for這個、Pray for那個，看來事情有點不妙啊！

我點開一則CNN報導影片，發現全美國的銅像也都瘋了，接著是法國、英國、德國、俄國、日本、新加坡……所有的『偉人』統統都跟台灣島上的㊣蔣公銅像一樣張牙舞爪、嗜血狂奔；不過很奇怪地，這些『偉人』也都在某個奇怪的瞬間一一倒下，彷彿人去樓空杯盤狼藉的喜宴會場……

……等等！在影片最後，地上這些殘破的『偉人』們竟然開始像觸電一般

集體顫動起來……然後是一陣槍響……然後是銅像爆頭後灑出的紅色……看來不像血液……似乎是漫天如赤色櫻花飛舞的東西……

同行的伙伴歇斯底里地拉扯我的肩頭，口中唸唸有詞，接著舉起手槍向前狂開……太天真了!!!

人類的救星跟世界的偉人們怎麼可能如此輕易倒下呢？只是這一次，從爆掉的㊣蔣公頭顱中噴出的並不是鮮紅色血肉——

而是充滿毛主席英明睿智和藹可親笑臉的鮮紅色人民幣……

而且全世界的銅像都一樣。」

——全劇終——

蔣公銅像吃人是個荒謬的故事

鄭立
遊戲《光輝歲月》原作擔當

我的員工活人拳突然收到一個合作專案，我只知道是畫蔣公的，聽說最近《一拳超人》很流行，我看畫光頭佬會有市場，便讓他畫了。

身為雇主，至少也該看看故事。看完之後，覺得這故事真獵奇，我不把內容雷出來，以下純評論。

這種故事讓我想起《七夜怪談》這電影。創作者大概就是望著空洞的電視螢幕，想像會有妖怪跑出來，於是便弄了一個電視機有鬼怪爬出來的故事來拍。

當我說「電視機有長髮鬼怪爬出來」，光聽文字描述，實在很遜很荒謬是吧？但《七夜怪談》可成了當時最受歡迎的電影，透過影像呈現，感覺起來就是和單純的文字不一樣。有畫面看，你才能感到那種詭異。

為何會有人創作這一類故事呢？究其本質，這些故事都描述著生活中那些毫不起眼，看起來無害的物品，突然變成了恐怖的禍害。

其實只要回想最近的新聞，就不難理解其中奧妙。最近大家是不是常常聽聞中國大陸有電梯出事失控，人被吃進去然後受傷死掉？當你看到這種新聞，你會害怕，擔心這種完全沒有先兆，也不是自己做錯了甚麼，如此單純的無妄之災，會不會有一天降臨到自己家人頭上？

對，就是這種感覺。

我們平時不會對一部電梯保持警戒，但電梯卻可以殺了你。你再想想，前陣子的馬路氣爆事件，或者是派對粉塵爆炸事件等，都有著相同的本質：一個你完全不覺得危險的地方和環境，在平和的氣氛下，突然變成了人間地獄。這世界最可怕的，並不是在緊張危險的情況下出事，而是四周的平和喜樂竟然可以在一瞬間突然崩解。

我不覺得這種事有需要理解成科幻，甚至也不需要理解為政治。因為它涉及的是一種更底層的東西，就是安全感。安全感源自我們認定理所當然的環境。我們一直認為搭乘電梯是很安全的行為，我們一直認為我們的食品和食油是沒有問題的，我們不會想到在路上騎車馬路會突然爆炸掀開來，我們不會想到參與一個室外派對會碰到粉塵爆炸。在發生前，這些事情都荒謬可笑，認真討論的人是會被嘲笑的。

但這一切都發生了。然後我們才會發覺，之前認為這些東西不用擔心的人，才是可笑的。這世界並沒有我們想像中的那麼安全。

這個故事將蔣公銅像變成怪物，其實是讓我們重拾那種感覺，那種事情不可能這樣發生的感覺。這故事可怕嗎？這故事會發生嗎？應該不可能。我們只會覺得這很假，就算會有東西變成吃人怪物，也不會是蔣公銅像。未免太滑稽了。當我們認定「某事根本不可能發生」，不妨將先前電梯失事，馬路氣爆等諸多意外帶入「某事」當中，重新看看那個曾這樣以為的自己。

然後你就會發覺，居安思危其實就是要設想事情惡化的任何可能。不要嘲笑美軍那麼認真去練習怎樣打喪屍，打外星人，這對我們來說是花邊新聞，但對他們而言，我們才是搞不清楚狀況。他們的軍隊明白，自己就是要面對任何無法理解的突發情況，而這些情況很可能都是前所未有的。人家就是準備充足，去應變任何的可能性。

至於我們就不同了。例如每當被問到「對岸會不會打過來」的問題，很多人的答案都是「一定不會打啦，所以整軍經武要幹甚麼」，但無論你列舉多少個理由，去證明對岸打來的機率有多低，那也只是低，不會是零，這樣的事情還是有可能會發生。到時我們準備好了嗎？

所以，蔣公銅像會吃人這種故事荒謬嗎？很荒謬。

但如果荒謬就是現實呢？

請你想想，今天發生的事情，有多少在十年前，是被視為荒謬的。

鏡頭的距離：原著與改編作品的一題各表

朱宥勳 小說家

對照閱讀唐澄暐〈蔣公銅像反攻全台〉和活人拳的漫畫版本〈蔣公會吃人？〉的時候，我一直偷偷在找，這兩個故事的「鏡頭」各自放在哪裡。所謂「鏡頭」，其實就是文學術語裡的「敍事觀點」，意思就是說故事的人站在什麼角度說話，選擇呈現給我們哪些東西。從這個角度來觀察小說版和漫畫版，我們可以很清楚地看到這兩種敍述形式的差別——有些東西是小說能給、漫畫卻必須避開的；有些東西卻是漫畫才有威力，小說只能一筆帶過的。

最大的差別，就是鏡頭的距離。在讀小說的時候，我通常會粗略地以「鏡頭距離角色多遠」為標準，區分三層鏡頭：第一層是超長鏡頭，如同上帝一樣俯瞰整個故事世界的輪廓，告訴我們故事進展的大方向。它可以照顧到整體的脈絡，卻通常看不見具體的場景，就像歷史課本的敘述口吻一樣，我們會知道「1975年蔣介石逝世」，但沒看到他臨死的狀態。第二層鏡頭則會打在故事角色的身上，讓我們看清楚場景、動作，但能照顧到的大方向就比較少，比如說：「蔣介石伸出乾枯的手，彷彿想抓住些什麼，但……」第三層鏡頭會探入主角的內心世界，讓我們看到流動的思緒。這是現實世界不會發生的事（除非你會讀心術），只有說故事者才能賦予你的特權：「蔣介石心想，忙了一輩子，結果……」

而通常在小說或漫畫這樣的故事體裁當中，只會有少量的第一層鏡頭、稍多的第三層鏡頭和最大量的第二層鏡頭。因為人們喜歡聽充滿動作的故事，偶爾慢下來聽聽角色的內心話，至於歷史背景，人們只想有最低限度的瞭解。

我說「通常」的原因就在於，故事其實是可以容許例外的。比如像唐澄暐的〈蔣公銅像反攻全台〉，就大量採用了第一層鏡頭，告訴我們蔣公銅像蔓延全島的歷史進程。作者只在關鍵的幾個地方，用上了第二層鏡頭（比如蔣公銅像第一次公開吃人和突然「關機」的場景），第三層鏡頭則幾乎沒有。這造成了一種客觀的、疏離的、歷史敘述或新聞報導一樣的口吻。與此搭配的是，唐澄暐選擇了「我們」作為敘事者，更是抹除了特定角色的聲腔。而為什麼〈蔣公銅像反攻全台〉可以是例外？那是因為「蔣公銅像動起來吃人」這件事本身的戲劇性就夠強了，所以不需

要給讀者太多動作描寫，光是冷靜的口吻就能誘引讀者繼續讀下去。同樣的寫法，也出現在台灣科幻小說史上另一篇經典的銅像故事上，亦即張系國的〈銅像城〉。而相較之下，張系國的小說命題比較像是在討論「國家」這種東西的本質，唐澄暐則更聚焦在台灣具體的歷史情境上。

回頭對照活人拳的漫畫版本，我們就可以看到兩種體裁各自的擅場和侷限了。同一個戲劇化的題材，漫畫顯然不能像小說一樣「完全沒有畫面」，一直用第一層鏡頭鳥瞰全局，所以活人拳塑造了五個具體場景，把小說中應該交代的資訊（蔣公銅像怎麼開始動的、銅像體內的蟲、要用火箭砲才能對付……之類的）分解在不同的場景中呈現，甚至岔出了原作沒有的「眷村列隊迎蔣公然後被吃掉」的場景。我自己非常喜歡這個場景，它其實應該是從小說中一筆帶過的「陸續有人被吃掉」的陳述中轉化出來的，顯然就有比原作更豐盈的厚度——這種北七（編按：白痴的台語發音）事就是會在這樣的地方發生，而且依照原作「蔣公銅像」所賦有的象徵意涵，也另外拉出了眷村與中華民國之間那種斯德哥爾摩症候群的情狀。但同時，小說原作能夠輕易講清楚的中美角力關係，在迫切需要畫面的漫畫當中，就變成了太複雜以致必須割捨的東西。

因此，〈蔣公會吃人？〉變成了和〈蔣公銅像反攻全台〉不太一樣的作品。論深沈和複雜是小說略勝，論表現的張力則是漫畫較佳，此中差別，就在兩個文本不同的表現形式和手法上。鏡頭的距離，讓小說變成了「餘生」的敍事，說話者似乎是站在文明崩毀、尚未重建的未來台灣，留下荒蕪陌異的紀錄；而漫畫則反而讓滿

布蔣公銅像的台灣成為序幕，彷彿有一個更大的故事正要展開。「形式決定內容」是文學批評中的老生常談（雖然只是部分正確），但正是在這麼簡潔俐落的故事，以兩個不同體裁表達出來的時候，我們可以非常清晰地看見這中間的化學變化。

Part III

蔣公銅像，絕對不只是

一尊銅像而已。

塑建總統　蔣公銅像注意事項

中華民國 064 年 08 月 05 日

一、各縣市民眾，為對總統　蔣公表示永恒崇敬，擬獻建　蔣公銅像，以建一座於其縣、市政府所在地為限。原已建立者，不必再建。

二、銅像塑建之地點，宜選擇地位寬敞，環境整潔之公園或廣場，不應使用街道交口之圓環。

三、銅像之塑建，應依照下列規定，敬謹辦理：

（一）銅像之神貌：應充分顯示　蔣公慈祥、雍容之神貌，並含蘊大仁、大智、大勇、堅毅、樂觀之革命精神，與至誠、博愛、愉快、生動之神情。

（二）銅像之神態：應採用自然立姿、神態挺拔、舒適、栩栩如生。

（三）銅像之服裝：以採用　蔣公喜愛穿著之中山服為主。

（四）銅像之高度：銅像及奉置銅像台座之高度，應就場地面積與週圍環境，按適度比例妥為配置。台座高度不得低於二公尺，銅像高度不得低於一．七０公尺。

（五）銅像之台座：台座表面以大理石或花崗石鑲嵌，正面應鐫刻「總統蔣公遺囑」碑文。其餘各面，可分鐫　蔣公墨寶、遺訓或革命事蹟之浮雕。

（六）銅像之環境：應於四週栽植常綠樹木及花卉、草坪，並配置燈光、椅凳，正面應保留適當面積之場所，以供民眾獻花、瞻仰、致敬。

四、各地塑建之銅像，應由當地政府指定負責單位，敬謹維護。

五、各機關、團體、學校於室內、外塑鑄　蔣公銅像者，準用第三項之規定，其於室內塑鑄者，可採用坐姿或半身像，半身像之高度，應塑至上裝第三顆鈕釦處。軍事機關、部隊、學校塑建銅像者，可採用戎裝，並佩帶勳章。

六、塑建銅像所需總統　蔣公生前玉照，由內政部負責供應。

七、本注意事項由內政部訂定分送各機關及省、市政府查照。

台南玉井圓環的蔣公聖誕樹　攝影者張夢宸

蔣公銅像大事記

1945 ■ 中華民國政府接管台灣

■ 嘉義接收歡迎大會上，台灣省行政長官陳儀向接收人員張邦傑中將提議興建蔣公銅像，張邦傑中將遂委託當時與會人士畫家陳澄波製作銅像事宜，陳澄波便推薦其女婿蒲添生為製作人選。

1946 ■ 蒲添生在製作過程中經歷種種死亡威脅，光復後第一百九十二天「蔣介石戎裝銅像」便立起，深受蔣公喜愛。

1947 ■ 全台爆發二二八事件，三月二日嘉義武裝抵抗激烈，陳澄波身為「二二八事件處理委員會」成員之一出面調停，卻遭到拘捕拷打，被逼迫承認煽動暴動。三月二十五日上午，陳澄波遭曝屍街頭。

1949 ■ 中華民國臺灣省政府主席兼臺灣省警備總司令陳誠頒布《臺灣省戒嚴令》。

1950 ■ 台灣進入白色恐怖時期，「檢舉匪諜人人有責」、「匪諜就在你身邊」、「殺朱拔毛」等宣傳語眾人朗朗上口。各地暴動不斷，實際喪生人數至今未明。

1966 ■《中學生月刊》鑄造各大小的浮雕蔣公銅像，上書「總統蔣公」，以「河山並壽、日月重光」等字句來慶祝創刊十週年。

1975 ■ 四月五日蔣公因突發性心臟病離世。四月十六日移靈至今桃園市大溪區慈湖陵寢賓館，待來日光復大陸之時重返南京。政府命令全國公務人員哀悼一個月，〈蔣公紀念歌〉也因此播放了一個月。

■ 內政部發布〈塑建總統蔣公銅像注意事項〉至全台各校。

■ 台灣塑造銅像風潮達到頂峰，台北中正紀念堂立起由陳一夫承鑄，全世界最大的蔣中正銅像。後作家林雙不統計台灣最高峰時期共有四萬五千座蔣公銅像。

■ 自臺灣藝術學院雕塑系畢業後，服完兵役的謝棟樑為謀生苦惱，經友人建議開始鑽研製作蔣公銅像，後贏得「蔣介石銅像雕塑家」的頭銜。其最高峰階段一年可製作約三十座。

1987 ■ 七月十五日《戒嚴令》解除。

1990 ■ 野百合學運爆發。

1991 ■ 五月二十二日《懲治叛亂條例》宣告廢止。

1992 ■ 五月十六日刑法一百條修正。

1997 ■ 五月三十一日蒲添生過世。

2000 ■ 台灣完成政黨輪替。桃園的慈湖蔣公雕塑公園開始漸有銅像移入。

2003 ■ 中央大學內的蔣公坐像其頭部遭人割除，幾週後連底座也消失。

2007 ■ 雲林北港運動公園內的蔣公銅像，遭噴漆損毀。

■ 三月十四日高雄市長陳菊下令拆除高雄文化中心的蔣公銅像，使用電鋸將巨大銅像切卸，趕赴到場的老榮民泣不成聲。後陳菊傳出中風消息，一時傳説謠言四起。

2012 ■ 二月二十八日成功大學內的蔣公銅像遭潑漆與撒冥紙，隔年校方低調移入校史室。

2013 ■ 嘉義中正公園內的蔣公銅像遭眾多社運團體潑漆，兩年後移至慈湖蔣公雕塑公園。

2014 ■ 三一八學運爆發。

■ 於輔仁大學內的蔣公銅像遭學生貼貼紙，學生與教官間爆發衝突，至端午節銅像被戴上斗笠、手拿艾草與貼上黑鬍子。且題上：「黨培一介武夫北伐落難佔台記」，「國育萬石餘孽侵校造神立像欺」，橫批「獨裁威權慶端午」。

■ 臉書粉絲專頁「無限期支持——全台裝置藝術“蔣”」成立，收錄並張貼眾多銅像被改造為裝置藝術的投稿。

■ 兼任國民黨主席的馬英九在該黨中常會回應指出，蔣介石的歷史功過應該要「讓大家知道，不要妖魔化蔣前總統」。

2015 ■ 二月底至三月初，全台各地發生各式汙損銅像之舉，創歷年新高紀錄。

■ 基隆市長林右昌三月初宣布讓蔣公銅像無限期退出政府機關及校園，並先行拆除文化中心的蔣公銅像，五月收到地檢署公文，要求調查移置費用。

■ 台南市長賴清德下令要求迅速拆除台南市內十四所校園放置的蔣公銅像，移至大溪慈湖。立委蔡正元於臉書上批評：「不抹滅蔣介石／那能彰顯日本人的偉大／賴清德一心想當神／卻未必了解／高舉日本／抹滅民國／可能不是獨立的起點／而是滅亡的先兆。」

- 高雄市大寮區的高雄仁愛之家，決定接收正修科技大學高達四公尺的蔣公銅像，並為其舉辦揭幕典禮。典禮上董事長激動流淚表示：「你們誰不要（銅像），只要通知我，（我）馬上去搬。」
- 台南永康南瀛眷村文化館因無力搶救遭移除銅像，號召「自己的蔣公自己救」，募集壹元硬幣，打算以特殊工法疊鑄出蔣公銅像，獲眾多老榮民們響應支持。
- 二零一五年十一月底為止，置放於慈湖蔣公雕塑公園內的銅像共有兩百零六座蔣公銅像，二十六座孫中山銅像及兩座蔣經國銅像。

Bonus Features

故事

還沒結束，

但可以

也

。

喘口氣。

直擊《蔣公會吃人？》原作唐澄暐（右）、漫畫家活人拳（左）對談現場！

「火箭筒，發射！」一起抵抗蔣公銅像的吃人末日！

採訪、攝影　王瑀、

唐澄暐與活人拳來到逗點編輯室，要聊聊各位現在手上這本《蔣公會吃人？》，是如何從收錄於《陸上怪獸警報》的短篇小說〈蔣公銅像反攻全台〉，一路演化成漫畫的！
以下，唐澄暐簡稱「唐」，活人拳簡稱「活」。

從短篇小說改編成漫畫的契機

唐：二零一五年九月，逗點安排我跟活人拳在高雄三餘書店對談，結束完後我們一起去吃飯，陳夏民總編在這時就突然提議將原作改編漫畫，整件事就自然地發生了。當時活人拳正在創作《鐵拳無敵孫中山》，而我這篇故事的素材來自蔣公銅像，這根本就是天作之合。

第一次讀到原作／第一次看到原畫

活：讀完原作〈蔣公銅像反攻全台〉，腦海中最先跑出來的就是新聞畫面！媒體記者播報時的緊張感、畫面快速切換、眾人逃難且天崩地裂，非常像好萊塢災難片，眾人甚至會因為蔣公的攻擊而「噗哧——咚！」

唐：第一次看到完稿時很開心！我小時候其實很喜歡畫漫畫，喜歡畫《漢聲小百科》裡的阿明阿桃或是小百科，或是挪用其他作品的角色，來一場荒島大冒險。放棄畫畫，想想有點可惜，但如今作品成為了漫畫，然後又畫得那麼好，超棒的！

活：原作的畫面感真的很生動強烈。

唐：可能我自己是新聞系出身，在寫作方面就會比較像是旁觀者的報導手法。

蔣公銅像吃人的靈感，原來在生活之中

活：我覺得這是一部相當台灣的題材，這是很難得的。比起其他常見的題材，甚至

史觀也好，這是一個很貼近我們日常生活的故事。在我們身邊，其實諸如硬幣或是銅像等，都充滿了蔣公這個符號，這其實也是我在台灣始終想要創作、討論的題材之一。

編：活人拳應該是79年次的吧？讀書時，課本裡應該沒有歌頌蔣公生平的文章了吧？

活：文章是沒有了，但我們或多或少都知道，像是鮭魚逆流而上嘛[1]，這些大家都耳熟能詳，就像小時候我們看過的郝劭文電影一樣，全都成為我們童年一部分了。

編：你自己是怎樣完成這篇漫畫的呢？

活：畫漫畫真的很累啊！

唐：（默默點頭）

活：手會畫到麻痺喔。過程中到最後都在想要怎樣將劇情整個串完，用漫畫來表現整個劇情，一直到最後完成，真的可以說是盡力了啦！真的！

唐：他現在整個人是灰白色。[2]

活：真的快死亡那樣。

原作設定的諸多細節與時代氛圍

編：原著小說的時空背景，恰巧是在台南去蔣化運動如火如荼的當下。想請教小說家這些設定背後所隱藏的故事。

唐：其實我比活人拳大幾歲，是七年級生，方才所提的一些事，我們算是親身經歷過的最後一代，教科書上真的就有蔣公看鮭魚逆流而上這些文章。

活：所以你們有讀三民主義嗎？

唐：到高中都還有這類課程跟文章，我們這一代也會被長輩告誡不要在談話或聊天中講太多關於蔣公的事情。在小時候都會謠傳蔣公銅像會有靈異現象，像是眨眼與移動這類的，於是這篇故事一方面處在校園鬼話的靈異現象，另一方面也呼應了民眾當時避談國父與蔣公的情況。禁忌和恐怖都包含在一般人童年對於銅像的印象之中。對於現在的年輕人來說，銅像可能只是過往的威權象徵，比較不會害怕，但對我們來說，卻是禁忌又恐怖，必須噤聲不能談的東西。這是我們這一代所見證的樣貌。

編：所以故事開頭便從校園靈異鬼話開始推展？

唐：是的，我在創作這篇故事時，並未預設結局，只是以蔣公如果動了這個條件開始推展下去。

編：這篇故事的結局真的好令人難過噢……

活：對啊！

唐：其實故事結局就像是《世界大戰》那般蒼涼。

將文字改編為漫畫時的重新架構

唐：其實我很想反問活人拳，將小說改編成漫畫時，是怎樣構思的呢？

活：視覺化的氣勢其實很重要，小說可以慢慢說，但漫畫看重視覺，能否在第一眼就吸引人，就是關鍵了。漫畫的魅力就在這裡，所以開頭我畫了很多草稿，抓到蔣公移動時的震撼力之後，再畫其他場景，比如說有反抗的人、有支持的人、新聞台的SNG車等草稿，並去思考這些場景的發展會不會打亂整篇漫畫的連結。與其說這是一篇漫畫，不如說這是我把自己在〈蔣公銅像反攻全台〉中所看到的各種發展，透過畫面，組成一個很緊湊的預告片，而這便成為〈蔣公會吃人？〉，希望這一作品可以吸引大家回頭去看原作，看見更多細節與畫面。

構想完故事梗概，便得把血肉補上

唐：其實蔣公這篇是屬於《陸上怪獸警報》中比較後期的作品，在與編輯確定好整本書的架構後，便在時限內一篇篇完成，其中蔣公是某天突然冒出來的點子。我不知道大家知不知道〈南海血書〉[3]，這是個非常古老的故事，誕生於我出生之前了吧。其實我一開始很想使用類似手法來處理故事的開頭，就是主角被蔣公銅像逼到絕境後，血書寫下：「我恨政府毫無作為……為什麼美軍不來幫我們」等等，抱怨原本生活安樂的台灣，而今面目全非，但後來想想我還是採用報導文學的筆法來寫了。

活：我覺得合作的人很重要，當初在吃飯時很快就答應下來的原因，就是大家都是有趣的人，聚在一塊來做一份有趣的事，以往看不到的效果就會跑出來。於是我們工作室就抱著寫暑假作業的心情上工，很享受地完成了。剛開始會給自己

一點時間來構思，大家也會一起練習怎麼畫蔣公銅像，找硬幣之類的東西看一看，或是窩在咖啡店想一想，不料壓縮到一點時間，最後就開始趕，但效果很不錯吧！對吧！（激動）

編：效果很好！

活：其實我覺得〈南海血書〉這樣的敘事法還不錯啊，我可能就會畫一個落難的男孩，然後用倒敘法吧！

編：不知道能不能出續集啊？

唐：其實不是沒有想過啊！這故事目前就是停在這裡：蔣公銅像並沒有消滅，只是靜止了，像慈湖園區裡的銅像，那樣靜止在都市之中。大家可以想像到底是什麼觸動了蔣公銅像，說不定之後可以像日本的小說《屍者的帝國》中那樣，把蔣公銅像變成一種工具，也就是生產力，像是拉馬車或是為人群服務。

編：變成人類的新綠能源了！

唐：又或是像駕籠真太郎《超動力蒙古大襲來》中的蒙古人坐在人手上征服歐洲，你可以想像如何把蔣公銅像變成未來的新能源。這其實也是漫畫都完成了之後，我突然想到可能的續集發展，這應該可以發展成長篇了吧？

活：說到續集，我們工作室在畫時有了〈國父遺像會吃人？〉這種奇想！（居然掏出草稿）除了蔣公銅像，還有什麼最多？國父遺像啊！國父遺像每每放在司令台上或是蔣公銅像後方，說不定，就在蔣公銅像靜止之後，某天國父的手就伸出來啪啪啪啪！然後開始張口吃人了！

聽說很好看

1 原文為中華民國小學課本第三冊第十一課〈先總統　蔣公小的時候〉，一九八四年後就不再強制選為必要教材，文章情節描述蔣公看到河川中的小魚逆流而上，便心生勇氣報效國家。後人對此爭論不休，先以魚的洄游性定下鮭魚品種，並多以生物學角度探討「小魚向上游……被水沖下來……小魚還是努力向上游。」此句描述為幼魚覓食之橋段，成鮭才會洄游溯上。

2 漫畫《小拳王》著名橋段，描述主角筋疲力盡後變為灰白色的了。

3 「今日不為自由鬥士，明天將為海上難民！」原收錄於小學社會課本第八冊的第三課〈怒海求生〉，〈南海血書〉於一九七八年十二月十九日於《中央日報》副刊刊登，本文譯者朱桂表示胞弟在中國南海的珊瑚礁上發現一血書，為一遭受越共戰火蹂躪的越南難民阮天仇，以螺尖沾血寫於襯衫上的憤恨絕筆。時值中美斷交之際，此書成為國中小學生必讀書籍，銷售二十餘萬冊，並翻拍電影。但遭後世踢爆諸多不合理之處，二零零三年作者承認為虛構之作，為當時國民黨情報主管配合政府威權統治，鼓動人民反共反美情緒。

生活提案
一起去慈湖蔣公雕塑公園野餐吧。

蔣公紀念雕塑公園詳細資訊

電　話：03-3883552

地　址：桃園市大溪區復興路一段 1097 號

開放時間：8:00-17:00

門票資訊：免費

交通

大眾運輸：搭乘「台灣好行巴士慈湖線」，在「慈湖陵寢站」下車便是。

自行開車：國道三號下大溪交流道下往大溪方向走，經台三線接台四號省道，往兩蔣文化園區的方向走，看到桃 59-1 鄉道後，左轉往慈湖方向，然後接台七線直走到慈湖停車場停車，下車後步行不久便可抵達。

嗚沙嗚沙
嗄

嗚沙
嗚沙

示見 09

蔣公會吃人？

原　　作：唐澄暐
漫　　畫：活人拳
總 編 輯：陳夏民
執行編輯：陳夏民
編輯助理：王　瑀
書籍設計：小　子
設計協力：董母揚

出　　版：逗點文創結社
地　　址：330 桃園市中央街 11 巷 4-1 號
官方網站：www.commabooks.com.tw
電　　話：03-3359366
傳　　真：03-3359303

總 經 銷：知己圖書股份有限公司
台北公司：台北市 106 大安區辛亥路一段 30 號 9 樓
電　　話：02-23672044
傳　　真：02-23635741
台中公司：台中市 407 工業區 30 路 1 號
電　　話：04-23595819
傳　　真：04-23595493

印　　刷：通南彩色印刷有限公司
I S B N：978-986-91476-7-5
定　　價：200 元
初版一刷：2016 年 1 月